p

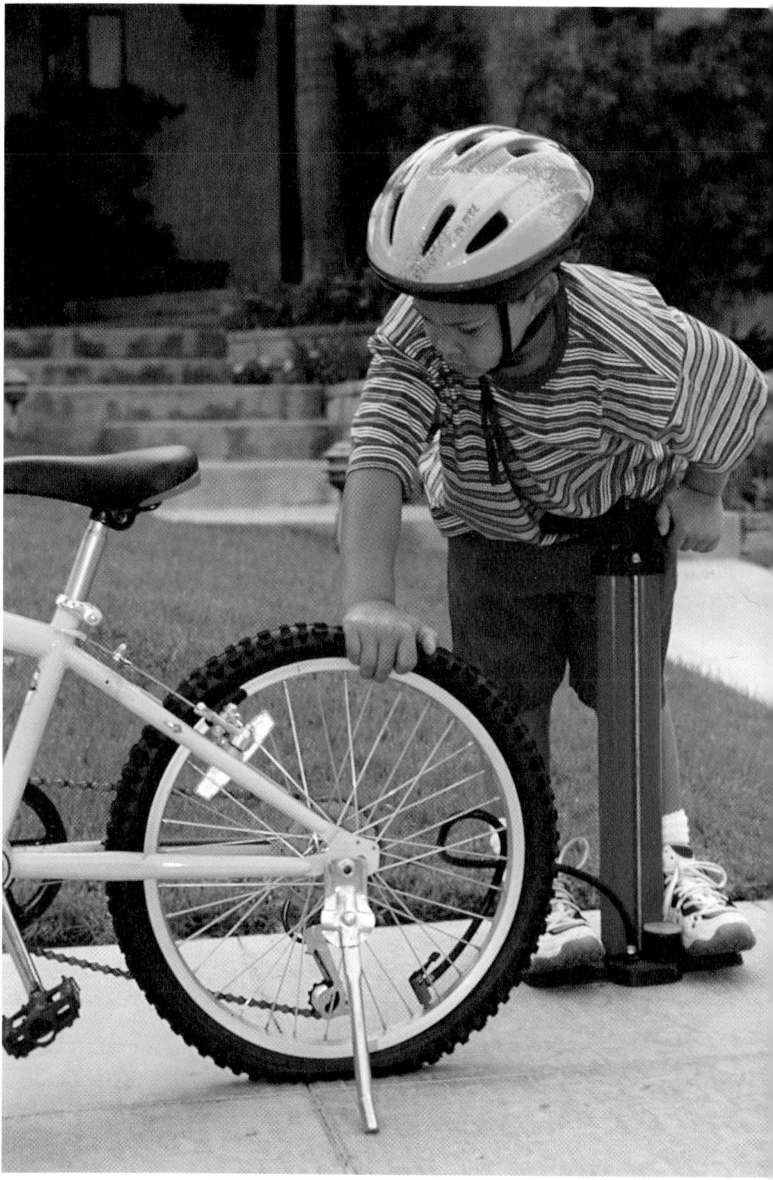

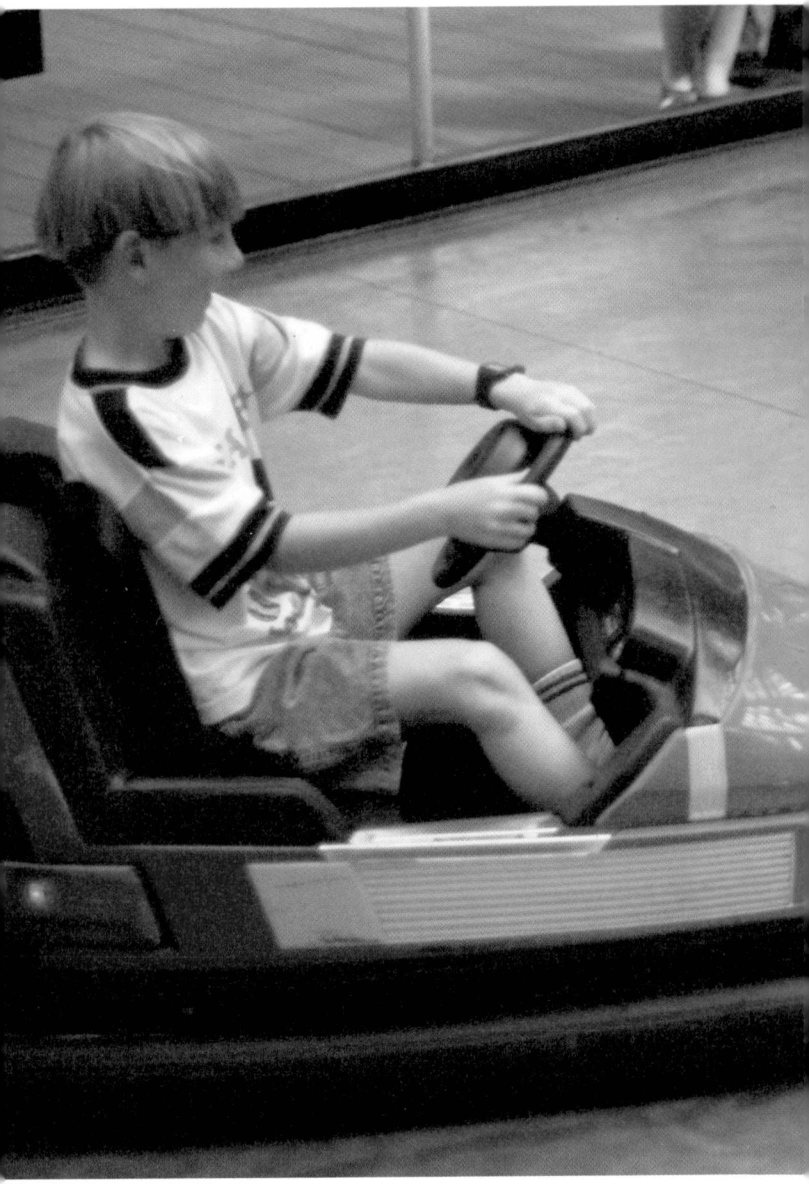

b

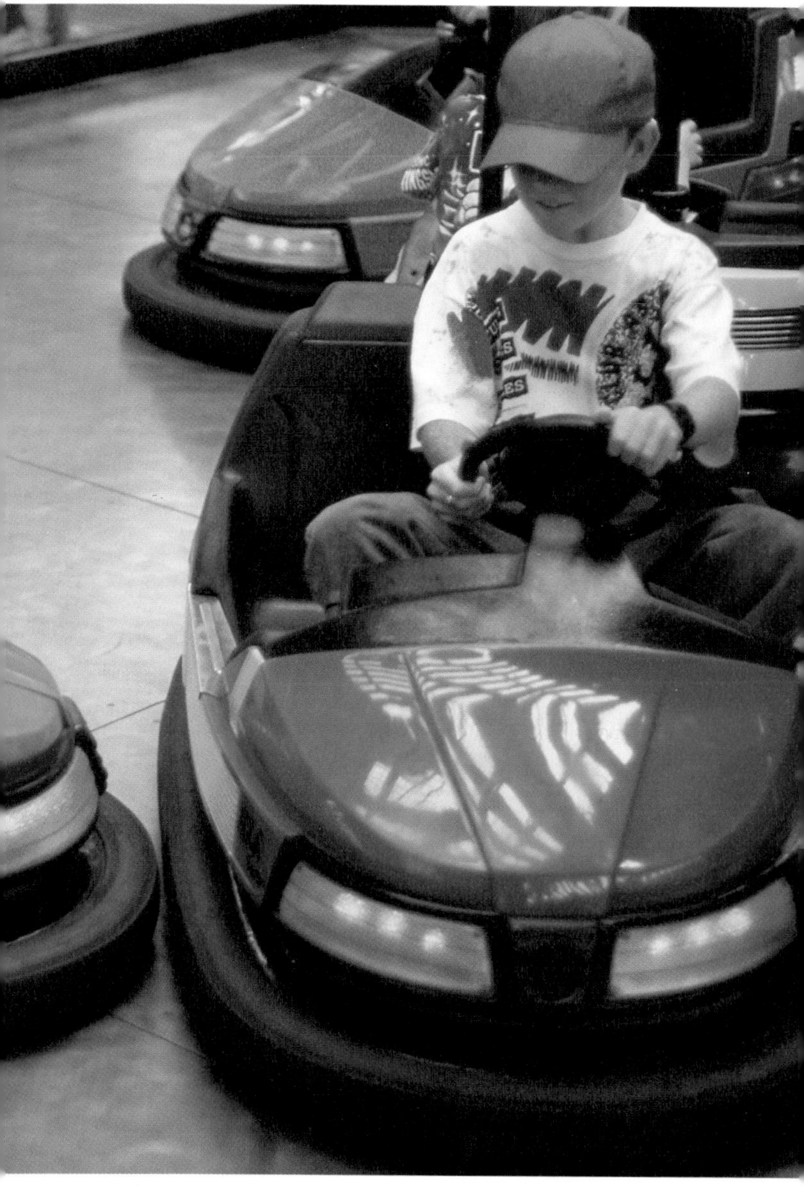

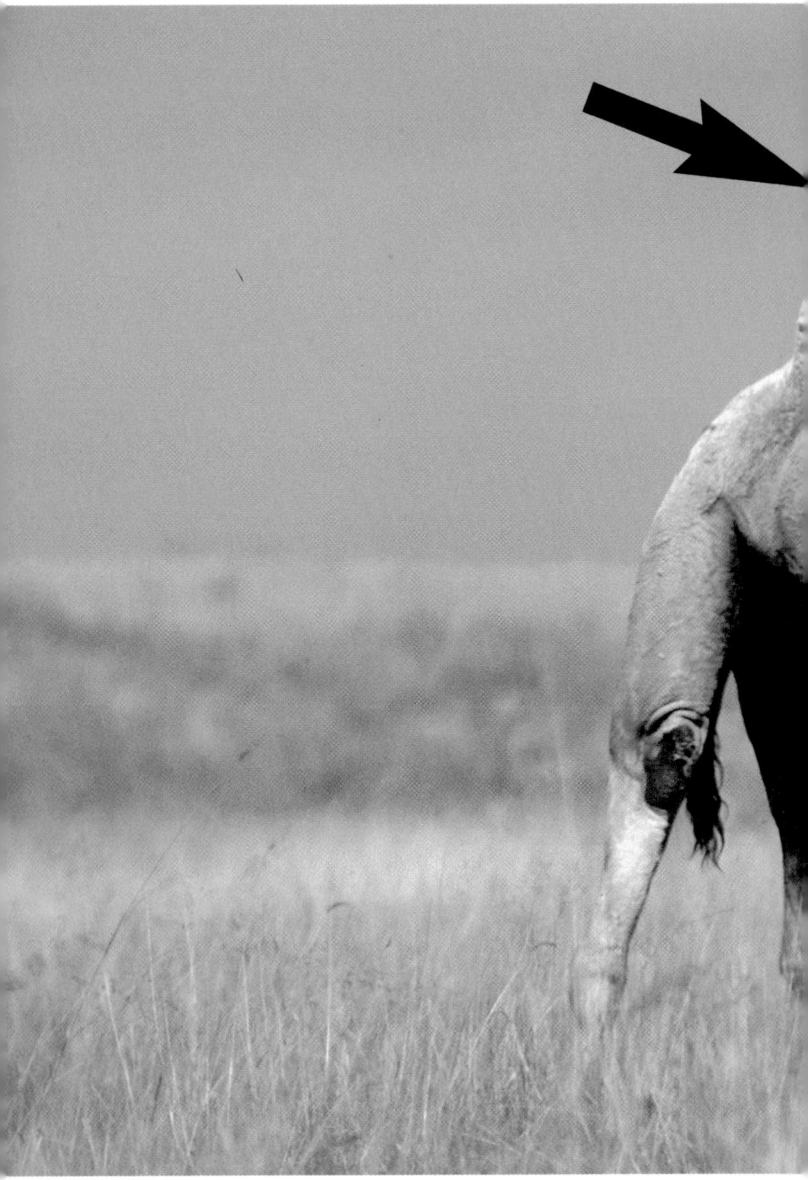

h

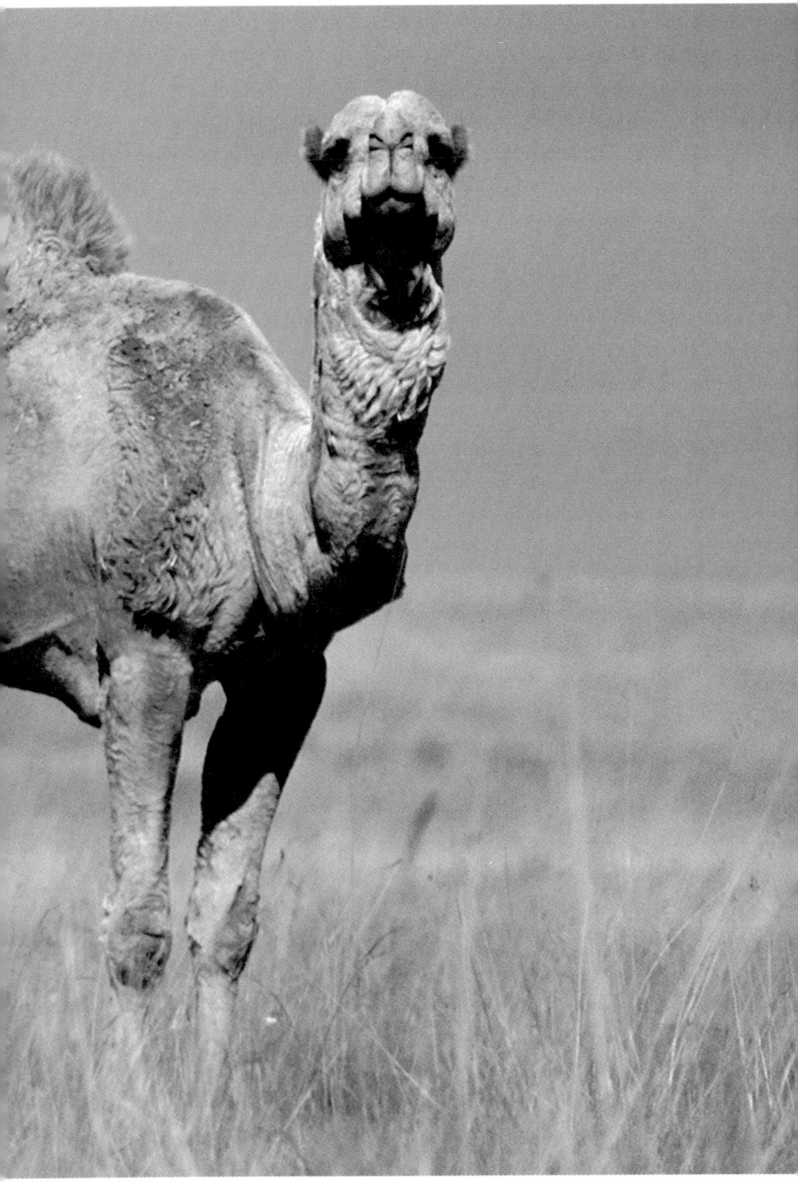

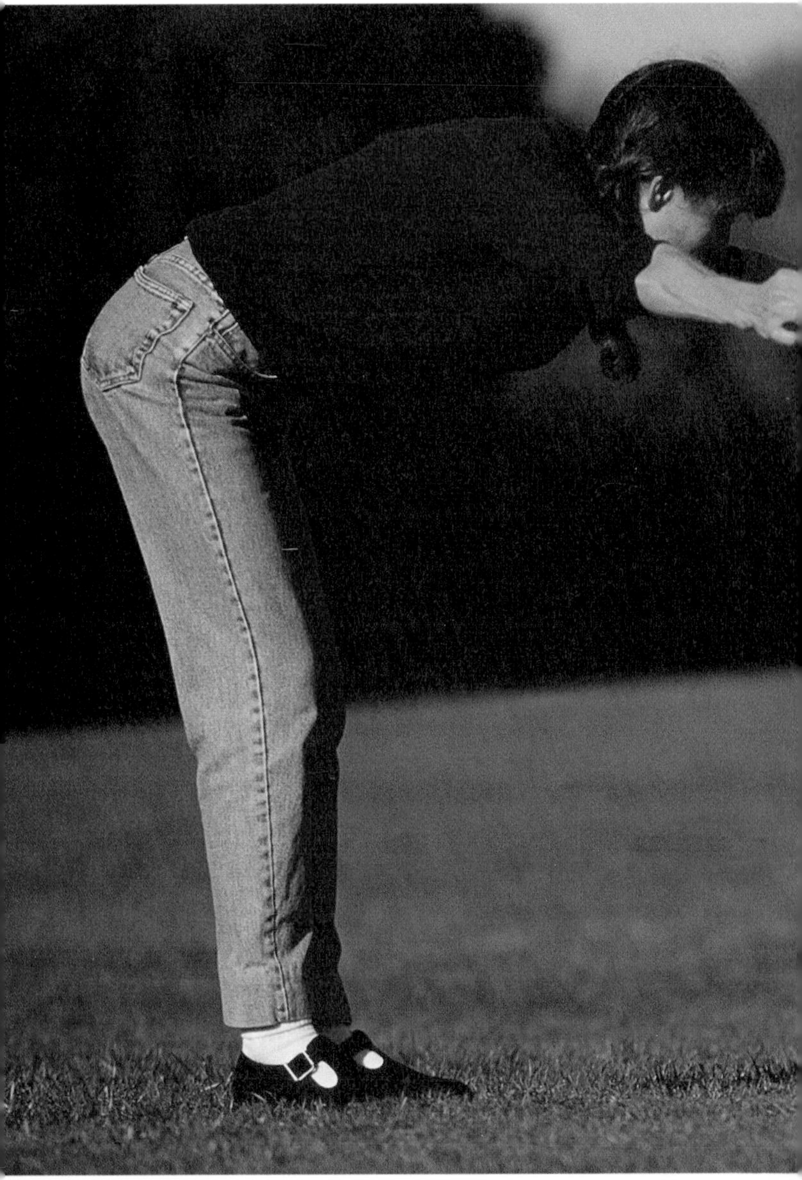